les enfants de la Bible

Est-ce que tu t'es déjà posé la question : mais comment c'était, d'être un enfant à l'époque de la Bible ? Et que faisaient-ils, ces enfants ?

As-tu parfois l'impression que la Bible, c'est des histoires de grandes personnes, et que, par conséquent, tu as du mal à t'imaginer que toi, tu pourrais faire de grandes choses pour Dieu, parce que tu es trop petit(e) ?

Maintenant, découvre ces histoires, et tu verras que toi aussi, tu peux devenir un héros de la foi, dans les plus petites choses.

Isaac

à voir :
Genèse 22
pour lire toute
l'histoire

Josué 22:5

" Aime le Seigneur ton Dieu.
Marche dans toutes ses voies et
obéis à ses commandements. "

J'ai appris à aimer Dieu et à lui obéir de tout mon cœur, comme mon papa me l'a appris.

Un jour, Dieu a dit à mon père : "Abraham, monte sur la montagne, et offre-moi un sacrifice." Mon père m'a demandé d'y aller avec lui pour l'aider, alors j'ai obéi. Moi, je portais le bois, et une fois arrivé, j'ai ramassé des pierres pour en faire un autel. Je n'ai pas ronchonné, ni marmonné que c'était franchement dur, même si je me demandais un peu pourquoi on était là, mon père et moi.

J'ai continué de lui faire confiance, parce que je savais qu'il faisait confiance à Dieu. Et en fin de compte, tout s'est vraiment bien terminé.

Toi aussi tu peux apprendre à obéir à tes parents et à leur faire confiance !

Toi aussi

Un des commandements de Dieu dit : "Honore ton père et ta mère." Honorer, ça veut dire aimer, écouter, obéir, avec bon cœur et avec joie.

Joseph

Colossiens 3:23

" Tout ce que vous faites, faites—le à fond et pour le Seigneur. "

à voir :
Genèse 39-40
pour lire toute
l'histoire

Depuis tout petit, j'ai appris à ranger ma tente et à prendre soin des animaux : c'en était, du travail !

Un jour, mon père m'a donné un magnifique manteau, plein de couleurs. Plus tard, je suis devenu un serviteur en Égypte, et j'ai appris bien des choses encore.

Encore plus tard, le Pharaon, le roi d'Égypte lui-même, m'a donné un travail vraiment important : collecter de la nourriture en prévision d'une grande famine. Il en a fallu, du travail et de la réflexion pour un tel projet. Il ne fallait négliger aucun détail ! Mais j'avais traversé suffisamment d'épreuves pour être prêt à cette tâche. Le fait d'avoir été fidèle dans les plus petites choses dès mon enfance m'a préparé à être responsable des plus grandes.

Toi aussi tu as des responsabilités, comme ranger ta chambre et tes jouets, donner un coup de main...

Toi aussi

... pour débarrasser la table. Voilà quelques exemples de ce que tu peux faire avec fidélité, pour que plus tard, on puisse te confier des choses importantes à toi aussi.

Myriam

à voir :
Exode 2:1-8
pour lire toute
l'histoire

Psaumes 23:3–4

" Je n'aurai pas peur, car tu es tout près de moi. "

Quand mon petit frère Moïse, alors bébé, était en danger, ma mère l'a caché dans un panier sur la rivière du Nil.

Moi, j'ai dit : "Je resterai là pour qu'il ne lui arrive rien." Je me suis cachée dans les roseaux, et je l'ai suivi le long du courant.

Alors qu'il descendait le cours d'eau, je ne l'ai pas lâché du regard. J'ai mis toute mon attention à veiller sur lui. Rien ne pouvait me distraire de ma mission.

Quand la princesse l'a trouvé, je suis sortie de ma cachette pour lui proposer que Maman devienne sa nourrice. Futé, n'est-ce pas ? Dieu a fait que je sois la protectrice de mon petit frère.

Toi aussi tu peux veiller sur tes frères et sœurs. Par exemple...

Toi aussi

... quand il faut traverser la route, ou quand tu les aides à ranger, ou à grimper dans la voiture... Si tu y arrives, ça montre que tu grandis !

Moïse

à voir :
Exode 2
pour lire toute
l'histoire

Romains 12:12

" Réjouis-toi pour tout ce que Dieu prépare pour toi. Sois patient dans les épreuves, et prie en tout temps. "

Je suis né dans une famille du peuple hébreu, mais quand une princesse d'Égypte m'a trouvé, elle a dit : "Je vais m'occuper de toi, et je serai ta nouvelle maman."

Et donc j'ai grandi dans le palais du pharaon d'Égypte. J'avais tout ce qu'un enfant peut vouloir.

Mais quand j'ai grandi, j'ai compris que ce n'était pas ma vraie maison. J'ai attendu patiemment que Dieu me montre ce qu'il fallait que je fasse pour son peuple et le mien.

C'est parfois difficile de devoir attendre : pour un bon repas dans le four, ou bien pour arriver à la plage après un long moment dans la voiture.

Toi aussi

Mais comment un gâteau pourrait-il être bon si on ne le cuisait qu'une minute ? Ça ne serait qu'un gros tas de pâte toute molle. Et si le trajet en voiture ne prenait qu'une minute ? On raterait de beaux paysages. La patience profite à celui qui sait attendre !

Samuel

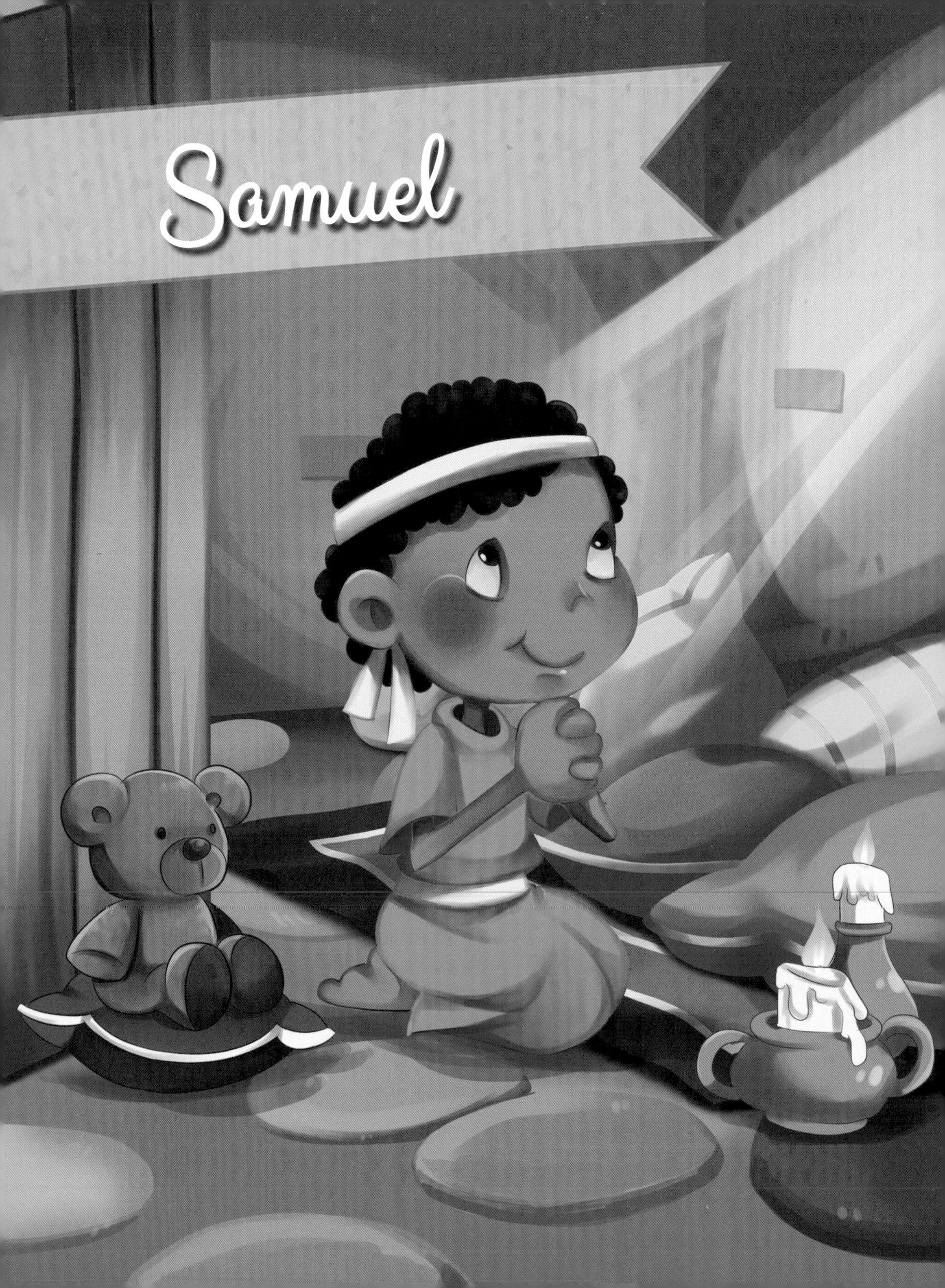

un verset

à voir :
1 Samuel 3
pour lire toute
l'histoire

Romains 10:17

" La foi provient des choses qu'on entend, et les choses qu'on entend viennent de la Parole de Dieu. "

Une nuit, alors que je dormais, Dieu m'a appelé. Au début, j'ai cru que c'était mon maître, le prêtre Éli. Mais en fait c'était bien Dieu lui-même !

Quand j'ai compris, j'ai répondu : "Parle Seigneur, je t'écoute." Et il m'a parlé. À partir de ce jour, j'ai toujours été à l'écoute de Dieu. Après tout, c'est vrai, qui pourrait refuser d'écouter la personne la plus intelligente de tous les temps ?

A tout moment, dès mon réveil, quand je jouais ou travaillais dans le temple, jusqu'à l'heure du coucher, je prenais du temps pour prier et parler avec Dieu.

On n'est jamais trop petit ou trop jeune pour faire silence dans son cœur et se mettre à l'écoute de Dieu.

Toi aussi

En lisant la Bible, en pensant à lui, tu l'entendras parler à ton cœur et à ton esprit. Certains enfants choisissent même un petit coin tranquille où passer du temps avec Dieu en prière.

David

Josué 1:9

" Sois fort et plein de courage.
N'aie pas peur, car Dieu est
avec toi. "

Quand j'étais jeune berger, il fallait que je sois calme, gentil et plein d'attention pour mes moutons. Je leur parlais, et leur chantais souvent des airs doux et relaxants.

Mais quand il fallait intervenir pour les protéger, quand il fallait chasser les lions et les animaux sauvages qui voulaient les manger, je n'hésitais pas à prendre leur défense.

Un jour, Dieu m'a utilisé pour vaincre le géant Goliath. J'étais tout jeune, et minuscule, comparé à cet homme gigantesque. Pourtant, je savais que j'avais l'Éternel, notre Dieu puissant et fort, à mes côtés. Et il m'a aidé à vaincre.

Quand tu te fais du souci, ou que tu es effrayé, rappelle-toi que tu as un Dieu puissant à tes côtés.

Toi aussi

Tu peux lui parler de tes problèmes, tu peux te décharger de tes soucis sur lui. Fais-lui confiance : il prendra soin de toi, parce qu'il t'aime. Peux-tu citer quelques exemples de ce que Dieu a fait pour toi ?

La petite servante

Psaumes 37:23

" Quand quelqu'un suit la voie du Saigneur, Dieu le fortifie dans sa marche. "

J'étais une servante dans la maison d'un homme appelé Naaman. Il était atteint d'une terrible maladie, appelée la lèpre. C'était une maladie incurable, aucun docteur, aucun médicament ne pouvait le guérir. Il était condamné.

Je lui dis : "Je connais quelqu'un qui peut te guérir. C'est Dieu ! Va voir Élisée, c'est un homme de Dieu. Il saura quoi faire."

Élisée dit à Naaman ce que Dieu voulait qu'il fasse pour guérir. Non seulement mon maître fut guéri, en plus, il décida d'adorer le Seigneur.

Grâce à une petite fille qui le servait et qui était un témoin du Seigneur, Dieu a changé la vie de cet homme.

Tu as sans doute des amis à l'église, avec qui tu lis la Bible et chantes des cantiques. Mais dans ton entourage...

Toi aussi

... à l'école et ailleurs, il y a tant de monde qui ne connaît pas Dieu. Tu peux, par ton comportement et ta gentillesse, témoigner du Seigneur et les amener à Jésus ! Et tu peux aussi prier pour tes camarades qui ne le connaissent pas encore.

à voir :

2 Rois 11, 12
pour lire toute
l'histoire

Proverbes 19:20

" Recevez tous les conseils et le plus d'instruction possible, afin que vous soyez sage le reste de votre vie. "

Mon oncle et ma tante ont pris soin de moi quand j'étais bébé et m'ont sauvé de la méchante reine qui me voulait du mal pour s'emparer du trône.

J'ai grandi dans le temple où j'ai appris à marcher, à parler, à lire et à écrire. Mais le plus important, c'est que j'ai appris à aimer et servir Dieu.

Je n'avais que sept ans quand je suis devenu roi d'Israël. Quelle lourde tâche pour un enfant ! Mon oncle m'a secondé pendant de nombreuses années.

J'ai appris à devenir un bon roi conduisant son peuple plus près de Dieu.

Il y a toujours quelqu'un pour qui tu es un modèle, même si tu n'es pas un roi ou une reine.

Toi aussi

Tu peux être un exemple pour les autres en obéissant à tes parents, à tes professeurs, et surtout, en étudiant la Parole de Dieu. Réfléchis : dans quelles circonstances es-tu un bon exemple ?

Marc 11:24

" Tout ce que tu demandes dans la prière, crois que tu l'as déjà reçu, et tu l'obtiendras. "

J'étais en train de revenir de l'école, quand tout à coup... Ding ! Dong ! La cloche de la prière se mit à retentir. J'ai baissé la tête et j'ai commencé à prier.

Un jour, l'armée de Babylone a envahi notre cité, et les soldats nous ont emmenés, mes amis et moi, pour travailler au service du roi de Babylone. J'étais triste de quitter ma famille et mon pays, mais il y avait quelque chose que personne ne pouvait m'enlever : ma foi en Dieu.

J'ai continué à prier, trois fois par jour, et à remercier Dieu, malgré les circonstances difficiles. Cela a beaucoup impressionné le roi qui m'a donné sa confiance et un travail très important.

Parfois, il est difficile de s'arrêter pour prier, surtout dans notre monde si plein d'occupations et d'activités, où la plupart des gens ne pensent même pas à Dieu.

Toi aussi

Pas facile non plus de s'en souvenir s'il n'y a personne pour te le rappeler. Mais Dieu veut faire partie de ta vie, et la prière, c'est la ligne directe pour être en contact avec lui. Encore mieux qu'Internet ! C'est ainsi que tu recevras sa bénédiction et son aide.

Jésus

un verset

à voir :
Luc 2:40, 51-52
pour lire toute
l'histoire

Proverbes 3:27

" Chaque fois que ça t'est possible, aide les autres qui en ont besoin. "

Quand j'étais petit, j'aimais jouer et chanter, dessiner, lire, et faire tout ce que tu aimes aussi.

Je passais beaucoup de temps à parler avec Dieu, mon père céleste. Mais j'occupais presque tout mon temps à travailler avec mon père terrestre, Joseph.

Il était charpentier, et j'ai appris à travailler le bois : je faisais des lits, des tables, des portes, etc. C'était un dur labeur !

Joseph était reconnaissant pour mon aide, ça se voyait. Et puis ça me faisait plaisir de lui faciliter la tâche et de le seconder.

Toi aussi tu peux être une aide pour les autres. Tu peux utiliser tes mains pour cuisiner, nettoyer, réparer...

Toi aussi

... construire ou ranger. Tu peux aussi aider ton prochain par des encouragements, du réconfort, un câlin... À chaque fois que tu fais quelque chose pour les autres, tu es un agent spécial du Seigneur.

Le petit garçon

à voir :
Jean 6:1-12
pour lire toute
l'histoire

1 Timothée 6:18

" Fais le bien, sois généreux, et désireux de partager. "

Un jour, Jésus a parlé à une foule immense. Il se faisait tard, et j'ai commencé à avoir très faim. "Heureusement que j'ai apporté mon panier rempli de pains et de poissons," me suis-je dit.

Cependant, en regardant autour de moi, je me suis rendu compte que personne à part moi n'avait apporté quoi que ce soit pour le repas. De mon côté, je n'avais pas grand chose, juste cinq morceaux de pain et deux petits poissons...

Mais j'ai décidé de partager, et j'ai donné mon panier à Jésus. Jésus a béni la nourriture et s'est mis à la faire passer. Et là, un miracle s'est produit !

Il y en eut assez pour les milliers de personnes présentes ! Assez pour que chacun soit rassasié. Je n'avais qu'un tout petit peu de nourriture, mais Jésus l'a multipliée en abondance.

Quand tu vois des gens ou des enfants qui ont beaucoup moins que toi, tu peux partager...

Toi aussi

... donner quelques-uns de tes jouets ou de tes habits, ou encore des choses que tu n'utilises plus. Tu peux aussi partager un goûter, à l'école. Il y a tant de manières de donner et de partager avec autrui !

Timothée

à voir :
1 Timothée 4:6-16
pour lire toute
l'histoire

1 Samuel 12:24

" Sers Dieu avec fidélité et de tout ton cœur. "

Quand j'étais petit, j'allais à l'école tous les jours, pour apprendre à lire et à écrire.

Je passais aussi beaucoup de temps à lire la Parole de Dieu et à l'étudier, pour en apprendre toujours plus sur lui.

Plus tard, quand l'apôtre Paul a demandé : "Qui voudrait voyager avec moi, pour enseigner la Parole de Dieu ?" je fus le premier à lever la main.

J'avais toujours été fidèle dans les plus petites choses que j'avais apprises, et voilà qu'à partir de là, Dieu me confiait une tâche plus importante. J'avais tellement de nouvelles choses à apprendre de l'apôtre Paul.

Et toi, vas-tu à l'école ? As-tu des devoirs à faire, chaque jour ? Si tu es fidèle...

Toi aussi

... dans les petits travaux quotidiens, comme donner à manger au chat, ranger tes affaires, alors, au fil des ans, Dieu pourra te confier des tâches de plus en plus importantes.

David   Moïse   Isaac

Lequel de ces enfants des temps bibliques a vécu en Égypte ?

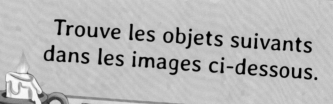

Trouve les objets suivants
dans les images ci-dessous.

Trouve les pièces manquantes pour compléter les deux puzzles suivants.

Écris les numéros des pièces dans les trous.

1

2

3

4

5

6

Aide Myriam à retrouver son petit frère en traversant le labyrinthe.

1 livre, 8 idées pour l'utiliser :

■ Grâce aux références bibliques, vous pouvez passer de la petite histoire à la grande, pour faire découvrir le chapitre et son contexte à vos enfants.

■ Vous pouvez aussi vous focaliser sur un personnage par semaine, en associant la page correspondante du livre d'activités et de coloriages "La grande Bible des Petits".

■ Encouragez vos enfants à pousser plus loin la réflexion : comment la leçon d'une histoire s'applique-t-elle dans leur vie de tous les jours ? Quels exemples peuvent-ils donner ? On peut les dessiner, en faire la liste, etc.

■ Chaque verset en rapport avec la morale de l'histoire peut être appris par cœur, on peut transformer ce verset en petite chanson à retenir... Vous pouvez aussi écrire le verset sur un tableau, le lire ensemble, puis effacer un mot, le relire en complétant le mot manquant, en effacer un autre, et ainsi de suite, pour un jeu de mémorisation.

■ Vous pouvez aussi écrire un verset sur une feuille de papier, découper chaque mot, mélanger les mots... et le but du jeu est de remettre le verset dans l'ordre.

■ Les cartes qui accompagnent ce livre peuvent servir à un Memory, ou bien à un "Qui est-ce ?", ou encore au jeu "Toi aussi tu peux !". Reportez-vous aux cartes pour plus d'instructions.

■ Marionnettes à doigts (qu'on trouvera dans la boite de jeux) : ces marionnettes à doigts des *Enfants de la Bible* peuvent être utilisées pour s'amuser, pour raconter les histoires contenues dans ce livre, ou inspirer les enfants à redire l'histoire dans leurs propres mots.

■ Enfin, proposez aux enfants de faire un dessin d'eux-mêmes et de le colorier. Ensuite, à eux d'inventer leurs propres histoires, en imaginant des scénarios où ils rendent service à la maison, témoignent aux autres de l'amour et de la compassion, trouvent le temps de prier et de lire la Parole de Dieu, etc.

À vous de jouer !